Caneuon Coridor

Barddoniaeth ar gyfer pobl ifanc

Golygwyd gan
Myrddin ap Dafydd
a
Llinos Jones

Darluniwyd gan
Jac Jones

Caneuon y Coridorau

Tudur Dylan
Gwion Hallam
Mererid Hopwood
Mei Mac
Ceri Wyn
Caryl Parry Jones

Cyhoeddwyd dan nawdd
Cynllun Cyhoeddiadau
Cyd-bwyllgor Addysg Cymru

Gwasg Carreg Gwalch

Comisiynwyd a chyhoeddwyd dan nawdd
Cynllun Cyhoeddiadau Cyd-bwyllgor Addysg Cymru.

Rhif llyfr safonol rhyngwladol: 0-86381-970-2

Argraffiad cyntaf: 2005

Argraffwyd a chyhoeddwyd gan Wasg Carreg Gwalch,
12 Iard yr Orsaf, Llanrwst, Conwy LL26 OEH
lle ar y we: www.carreg-gwalch.co.uk

Tudalen

Mae coridorau yn llwybrau diddorol iawn ym mhob ysgol. Dyma'r eiliadau o ryddid rhwng caethiwed y gwersi; dyma gyfle i daro gair gyda hwn a'r llall; dyma gyfle i daro golwg arall ar y bishyn/pishyn yna yn y dosbarth arall; dyma gyfle i daro'n ôl weithiau hefyd.

Mae gweiddi a chwerthin, rhedeg a chwarae ffŵl, yn digwydd ar goridorau – pethau nad ydyn nhw'n cael eu caniatáu fel rheol. Dro arall, mae distawrwydd mawr ar eu hyd nhw, gyda dim ond rhythmau pell diwydrwydd y gwersi yn murmur rhwng drws a drws.

Pan oeddwn i yn yr ysgol gynradd roedd y prifathro yn gyn-swyddog yn y fyddin. Roedd yn credu mewn dod â disgyblaeth y lluoedd arfog i gadw trefn ar rebels bach ei ysgol. Safai ar gornel yn y coridorau gan glecian ei fysedd i gadw rhythm a disgwyliai i'r plant gadw at y chwith, gan gerdded y naill y tu ôl i'r llall a martsio i guriad ei fysedd. Roeddan ni i gyd yn casáu'r peth!

Coridorau gwahanol iawn i hynny sydd yn y gyfrol hon. Mae'r chwe bardd yn ceisio mynegi profiadau'r ifanc gan edrych ar y byd a'i bethau drwy eu llygaid nhw. Mae yna chwalu trefn a herio weithiau – ond hefyd y mae yma rythmau pendant a phrysur sy'n dangos bod cân newydd, cyffro newydd a threfn newydd yn cael eu creu o hyd ac o hyd ar goridorau heddiw.

Myrddin ap Dafydd
Mawrth 2005

Y Plentyn yn y Bardd

Mae pob plentyn yn fardd. Mae gan bob plentyn y ddawn i weld ac i glywed ac i deimlo mewn ffordd wahanol i'r person mewn oed. Mae pob un sy'n sgwennu cerddi wedi anghofio tyfu'n oedolyn, wedi aros mewn byd ffantasi, ac ym myd y breuddwydion. Mae'n gweld y nos yn olau a gweld y dydd yn dywyll. Mae'n gweld y dagrau'n anferth ac yn gweld y môr yn fach.

Mae yna adnod yn y Beibl sy'n mynd fel hyn: 'Ond pan ddeuthum yn ddyn, mi a rois heibio bethau bachgennaidd.' Hynny ydi, ar ôl i ni aeddfedu, mae angen i ni anghofio am bethau fel chwedlau a straeon tylwyth teg. Os felly, rydw i heb aeddfedu o gwbl. Dw i'n dal i gredu yn y tylwyth teg. Dw i'n credu bod Bendigeidfran wedi cario byddin ar ei gefn draw i Iwerddon i achub Branwen. Dw i'n credu bod 'na ddwy ddraig yn ymladd ei gilydd o dan graig yn Eryri.

Os oes rhywun yn dweud wrthoch chi mai casgliad o fineralau a nwyon sy'n llosgi ydy seren, meddyliwch eto. Ai dim ond dŵr wedi anweddu ydy cwmwl? Ai dim ond golau yn mynd drwy brism ydy enfys?

Mae sŵn geiriau hefyd mor bwysig. Ydych chi'n credu mai'r un peth ydy 'canol' a 'crombil'? Maen nhw'n golygu'r un peth yn ôl y geiriadur. Ond mae sŵn y ddau air mor wahanol. Os dwedwch chi fod ogof yn mynd i ganol y mynydd, yna mi fyddwch chi wedi nodi ffaith. Os dwedwch chi ei bod hi'n mynd i 'grombil' y mynydd, mi fyddwch chi wedi cyfleu ychydig o sŵn ac awyrgylch yr ogof hefyd.

Cofiwch ysgrifennu am yr hyn yr ydych chi'n ei weld. Welsoch chi dristwch erioed? Naddo. Allwch chi fynd i siop i brynu gwerth punt o siom? Na. Ceisiwch osgoi geiriau am bethau na allwch eu gweld. Byddai tynnu llun deigryn gyda geiriau yn llawer mwy effeithiol na dweud fod yna dristwch mawr o gwmpas.

Ro'n i wedi dangos un o'r cerddi hyn i ddisgyblion Blwyddyn 9 yn Ysgol y Strade, Llanelli, ac yn fwriadol wedi cadw rhai geiriau allan er mwyn iddyn nhw gynnig geiriau yn eu lle. Dw i am ddiolch yn gyhoeddus iddyn nhw am feddwl am well geiriau na'r gwreiddiol, ac mae un neu ddau ohonyn nhw bellach wedi cael eu cynnwys yn y gerdd. 'Cân y Coridorau' oedd y gerdd, ac mae'r gair 'dawnsio' a 'gwagle' yn eiriau llawer gwell nag oedd yno'n wreiddiol! Mae teitlau'r cerddi 'Beth yw perffeithrwydd?' 'Cabinet Ffeilio Duw' a 'Dreigiau' hefyd yn rhai sydd wedi cael eu cynnig gan y dosbarth. Diolch iddyn nhw am eu help, ac am gynnig syniadau sy'n gymorth i gadw'r enaid yn ifanc o leiaf.

Cabinet Ffeilio'r Nefoedd

Mae 'na gabinet ffeilio'n y nefoedd
a dy enw di arni yn glir,
ac o fewn un o'r droriau
mae un amlen sy'n llawn papurau
ac mae'r cyfan yn dweud y GWIR!

Os buost ti'n wych neu yn warthus,
mae'r cyfan i gyd o dan glawr.
Mae'r dyddiad wedi'i nodi,
a manylion yr hyn a wnest-ti,
hyd 'noed y lleoliad, a'r awr.

Ar Chwefror y seithfed y llynedd
rhoist gic i gath Anti Fflo.
Ti'n meddwl fod neb 'di dy weld-di,
ond mae'r cyfan wedi'i gofnodi
yn ei gabinet ffeilio O!

A ti roddodd stinc bom fis Medi
nes drewi holl fore dydd Iau.
Wnaeth neb o'r holl athrawon
dy weld di'n ei falu'n yfflon,
ond mae'r cabinet ffeilio'n trymhau!

Bydd 'na ddiwrnod yn dod pryd y byddi'n
Cael gweld cynnwys yr amlen i gyd,
Ond pe bai dy rieni'n
Cael gweld be sy ynddi…
Byddai hynny yn ddiwedd y byd!

Cân y Coridorau

Mae'r coridorau'n dawel, dawel
A does dim ond hanner awel
Yn dawnsio'n ara deg,
Mae'r holl garlamu amser cinio
A lleisiau'r gweiddi wedi peidio…
Pob sŵn o'r traed i'r geg.

Mae'r coridorau'n ddistaw, distaw.
Clywed dim ond sŵn yr alaw
Yn ddiwyd ac yn ddawn.
A dim ond cân un pianydd unig
Yn llenwi'r gwagle gyda'i fiwsig
Heb neb i sbwylio'i bnawn.

Tra bod 'na wersi hwnt i'r drysau,
Tra bo gramadeg a ffracsiynau,
Mae'r gân yn mynd o hyd.
Ond pan ddaw'r gloch i dorri'r diwrnod
Fe fydd y miwsig wedi darfod
A bydd y piano'n fud.

Y Ddraig Goch a'r Ddraig Wen

Ymhell bell, bell dan filltir o graig
Yn ymladd yn gyson, mae dwy ddraig.

Mae nabod gwlad yr un goch yn hawdd,
Ond mae'r wen wedi dod o'r tu draw i'r clawdd.

Pan fo'r Cymry yn ennill, mae'r Goch ar y blaen,
Ond pan fyddan nhw'n colli, mae dan andros o straen.

Bob tro y mae Cymro'n anghofio ei iaith,
Mae'r Wen wrth ei bodd. Mae 'di digwydd sawl gwaith.

Maen nhw yno yn ymladd ers dechrau'r byd,
Mae'r ddwy'r un mor styfnig, ac yn greithiau i gyd.

Pa un fydd yn ennill? Does dim syniad gen i.
Ond mae'r ateb yn rhywle'n dy galon di.

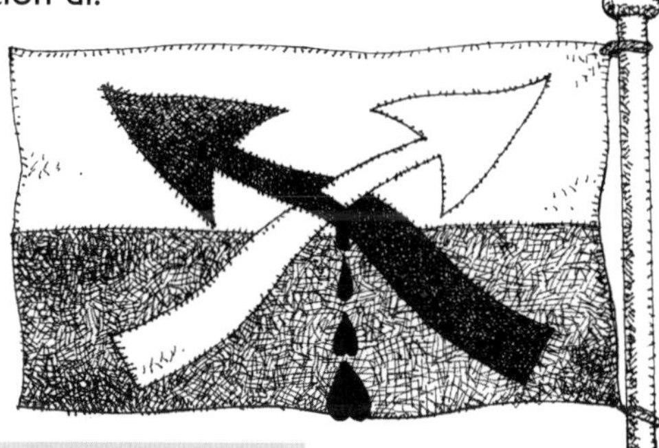

Yn ôl yr hen chwedl, mae dwy ddraig yn ymladd â'i gilydd yn isel o dan y graig yn Ninas Emrys, Beddgelert. Mae un yn goch a'r llall yn wyn. Mae'r ddraig goch yn cynrychioli Cymru a'r ddraig wen yn cynrychioli Lloegr. Mae rhai'n dweud bod dyfodol Cymru'n dibynnu ar y ddraig goch yn maeddu'r ddraig wen.

Gwersi

Mae Arlunio'n boen, a does gen i ddim cliw,
Ac mae'r athro ei hun y peth mwya di-liw.

Mae'n gas gen i Ffrangeg, wir i chi,
Ond mae'n rhaid i mi'i gymryd, felly *C'est la vie*!

Yn y gwersi Cerddoriaeth, dw i braidd yn chwit-chwat
Mae mhen i fel drwm, ac mae popeth yn fflat.

Yn Technoleg Bwyd, mae'r athrawes yn gas
Ac felly mae'r gwersi wedi colli eu blas.

Yn Daearyddiaeth mae gen i wir ddawn,
Ond 'mod i'n methu cael hyd i'r ystafell yn iawn.

Dw i'n cyfri a chyfri yn Maths am y gore,
Sef cyfri'r munudau tan amser mynd adre.

Perffeithrwydd?

Gwên ar wyneb plentyn bach,
ei fol yn llawn a'i groen yn iach.

Mynd i wylio'r wawr yn torri,
lliwiau'n dân ar draws Eryri.

Wedi i'r cwmwl golli dagrau,
sêr y nos yn gawod olau.

Llond y bath o ddŵr berwedig
wedi diwrnod oer gythreulig.

Gweld y wên yng nglas dy lygaid
Clywed chwerthin yn yr enaid.

Clywed iaith Glyndŵr, Llywelyn
Heddiw'n fyw ar wefus plentyn.

Ti

Ti sy'n gofyn a ydw i'n well,
Ti sy'n agos pan ti 'mhell.

Ti sy'n cydio yn fy llaw,
Ti sy'n gwmni yn y glaw.

Ti sy byth yn mynd yn hen,
Ti 'di'r rheswm am fy ngwên.

Ti sy'n rhoi a rhoi o hyd,
Ti sy wir yn werth y byd.

Ti sy'n dweud y geiriau bach.
Ti sy byth yn canu'n iach.

Y Sleid Eira

Haul y gorwel yn felyn,
bore'n lân, a'r eira'n wyn.
Y Robin yn gweiddi'n goch
a'r rhew yn oeri drwoch.
Awyr las dros ddinas ddu
a'r rhai hynaf yn rhynnu!

Ond y rhai iau'n mynd am dro
yn eu lifrai i sglefrio,
gwneud sled o goed cyffredin,
a rhaffau, a bagiau bin.
Megaphobia'r eira yw,
a sleid fel tinsel ydyw.

Aros ni wnaeth yr eira,
llawr o ddŵr sy lle'r oedd iâ,
mae'r sleid brynhawn yn llawn lli
a dadmerwyd y miri.
Wedi'r awr o fynd am dro...
y criw a'r eira'n crio.

Pam ysgrifennu cerddi?

Do, fe dreuliais i noson ar ben Cadair Idris. Ddeng mlynedd yn ôl ar ôl *stag night* serennog mi ddeffrais i'n oer ar gopa chwedlonol y mynydd. Ddois i i lawr yn fardd? Neu'n ynfytyn? Wel, dw i yn ysgrifennu cerddi. Ond pam?

Fe ysgrifennais fy ngherdd gyntaf yng Nghernyw, mewn ystafell wely 'B & B' yn Falmouth. Roedd yna ddechrau a diwedd a theitl i'r gerdd – 'Brychni yw hi' – a rheidrwydd i'w hysgrifennu. Roedd y ferch ar fy meddwl filltiroedd i ffwrdd – mor agos i'm meddwl â'r brychni at fy nghorff a'r un mor anodd i'w golchi hi i ffwrdd. Rhaid oedd ysgrifennu neu farw o hiraeth. Dyna'r dewis i fardd ifanc a ffôl! Barddoni i fyw.

Fe ysgrifennais fy ngherdd olaf – hyd yn hyn - ddoe. Cyfieithiad oedd hi o'r gân 'Bohemian Rhapsody'. Wir i chi! *Scaramouche, scaramouche will you do the fandango?* Fe wrthodais i'r cais i'w chyfieithu i ddechrau, â'r geiriau 'Mama, just killed a song!' yn canu yn fy nghlustiau. Ond yna, a fi'n trio bwrw iddi i ysgrifennu rhywbeth arall, call (stori am foi sy'n cael ei gnoi gan ddraenog *radioactive*!) cefais fy hun yn barddoni yn fy mhen. Yn methu gwneud dim ond cyfieithu geiriau Freddy i'r Gymraeg. Felly ffoniais i'n ôl i dderbyn y gwaith er mwyn ysgrifennu a diffodd y geiriau. Fel yna mae hi weithiau. Nid bob dydd, ond ddoe. Ysgrifennu er mwyn byw mewn tawelwch. Barddoni i fyw.

Os byw ac iach fe ysgrifennaf fy ngherdd nesa' i fory. Nid am fy mod i'n glaf o gariad nac am gael gwared â'r odlau o mhen, ond gan fod Myrddin ap Dafydd wedi gofyn am saith cerdd a minnau â chwech hyd yn hyn.

Peth anodd yw hi i fardd ddweud 'na' wrth brifardd. Ac fe fyddai hynny'n beth gwirion ag ysgrifennu'n rhan o mywoliaeth. Nid rhamant yn unig sy'n gwasgu'r geiriau i lawr ond *deadlines*, cytundeb ac addewid o dâl ar y diwedd. Barddoni - i ryw raddau - am y bara. Barddoni i fyw.

Bywyd yw barddoniaeth i fi: profiadau real bywyd sy'n sbardun i'r rhan fwyaf o ngherddi i. Hyd yn oed y rhai yn y gyfrol yma sy'n cyfeirio at gyfnod arall. Cofio bwlis real yn pigo ar fachgen ar y bws ysgol. Cofio ffansïo athrawes real neu sylwi ar ferched o mor real yn lle gweithio'n llyfrgell yr ysgol. Cofio ffrind o'r un dosbarth yn marw'n afresymol o real. Dagrau real. Pridd real. Digwyddiadau real yn daearu'r llinellau. Bywyd yn anadlu bywyd i gerdd.

Cyn i chi ddarllen y cerddi efallai y dylswn i wneud yr hyn y gofynnwyd i mi ei wneud yn y cyflwyniad. Dw i'n 30 mlwydd oed, yn gwylio ffilmiau a llyfrau, yn mynd i gaffis a siopau a thai ffrindiau am fwyd, yn ddigon hen i fod yn canu mewn côr. Dw i'n dod o Rydaman ond yn byw yn y Felinheli gyda'r ferch a oedd yn frychni i fi. Mae'n wraig i fi bellach ac yn fam i'n mab ni, Noa.

Petai rhaid i fi ysgrifennu dim ond un gerdd fyth eto, yna Noa fyddai ei theitl. Eleri fyddai ei thestun. A fi fyddai pia'r camgymeriadau i gyd.

Ie, ynfytyn a ddaeth i lawr o ben y mynydd.

Bws Ysgol

Mor rhyfedd sut all taith
bob dydd
mewn bws
droi'n artaith byw,

a sut all croeso'r
seddau mawr cartŵn
droi'n hunllef real iawn

i un.

Mae'n eistedd hefo'i
fag fel ffrind
a'i groen yn gwrando'n chwys;

fel milwr ffilm sy'n cofio'r sgript
mae'n disgwyl bang y bom,

yn paratoi at glec
grenêd y geiriau.

Oi gay-boy? Ma' pawb yn gwbod!

Hei o 'ma, s'dim lle i homos!

Ocê, os ti'n gê dwed y gwir!

Nid gofyn ond dweud
a neb eisiau ateb –

haws chwerthin a chwislan
ar gelwydd sedd gefn
na gwrando ar y gwir :

gwell closio at y bwli
na'r boi sy'n diodde
ei boen.

Sic Nôt

Annwylest Miss Macklusky,

Dw i'n sgwennu ar ran Karl gan nad yw o'n 'rysgol heddiw – wel, ma'r hogyn eto'n sâl! Roedd o'n ddigon symol hefyd i golli ddoe - ddydd Llun, a dw i'n ama a ddaw o fory, tydi o ddim yn fo ei hun. Mae'n hogyn cry fel arfar, a dw i'n poeni a deud y gwir o'i weld o'n llwyd fel ash trê, a tydi o ddim yn cysgu'n hir. Pum munud ar y mwya ac mae'n deffro'n fflyshd i gyd cyn troi a throsi'n chwyslyd fel sosej poetha'r byd!

Ond wir, dw i weithie'n ama' nad ydi o'n sâl go iawn, ac na fedar doctor normal mo'i wella fo yn llawn; ei fod o'n sâl o gariad a'n diodda o symptoma' serch - wel, nid fo sa'r hogyn cyntaf i golli cwsg, a'i ben, dros ferch! Achos neithiwr es i'n dawal am sgowt yn 'roria mân, 'mond i weld a glywn i'r enw oedd yn rhoi ei groen ar dân. A wir dw i'n deud gwirionadd – Miss Macklusky coeliwch fi – mi glywais i y mab 'cw yn gweiddi'ch enw chi!

Ac felly, ga i ofyn am un gymwynas fach, i drio helpio'r mab cw rhag diodda mwy mewn strach? Beth am wisgo sgert sy'n hirach a llai o flyshyr ar eich boch? A beth am beidio marcio'i waith yn rong â swsus coch? Neu gwell fyth ta, gwisgwch drowsus – rhai bagi, slac fel sach. Fasa hynna'n siŵr o helpu i gadw'i hormons yn fwy iach.

Os na, wel, fe wnes i drio - ond ydw i'n lot rhy hwyr? A Karl bach fi yn hollol *lost – in love and lust* yn llwyr. Os felly, rhaid fydd trio rhwbath arall cyn bo hir, fel ei anfon at Miss Davies Maths - ma honno'n hyll yn wir!

Ond am rŵan, Miss Macklusky, dw i'n gofyn er mwyn fo – chi'n siŵr o beidio deud wrth neb?

Mewn gobaith,
Miss Monroe.

Sylwi Arni

Dw i'n sylwi arni'n edrych ar y cloc
gan drwbli ei llygaid dwfn ag oriau'r dydd,
dw i'n hoffi'r ffordd mae'n troi yn ôl i'w llyfr
i ddianc eto i'r tudalennau rhydd.

Dw i'n hoffi'r brychni bach uwchben ei thrwyn
a gwylio ei llaw yn methu eu crafu i ffwrdd,
a gwrando'i bysedd eto'n guriad blêr
wrth adrodd rhythmau'r stori ar y bwrdd.

Dw i'n sylwi arni'n plygu'r llyfr i'w bag
a'i phen yn codi wrth glywed rheg y gloch,
mae'n stopio'n stond yna'n tynnu ei gwallt yn ôl
a'r gwaed yn lliwio ychydig ar ei boch.

Dw i'n hoffi ei bod hi'n gwrido'n eitha swil
wrth droi a symud oddi wrthaf i,
dw i'n hoffi meddwl iddi wenu'n wan
o sylwi mod i'n sylwi arni hi.

Bleddyn Cerrig Beddi

Er mor eiddgar a pharod – yw'r bachgen
i rannu'i wên hynod
'does neb yn dewis nabod
Bledd bach ni a'i ddannedd od.

Gweld Hen Ffrind

(a gafodd ei ladd ar foto-beic tra'n fachgen ysgol)

Mae'r byd 'di cadw i droi ers iddo fynd
a'r clociau wedi cadw'u hamser llym
ers imi glywed sôn am daith fy ffrind
ar awr pan nad oedd amser i ni'n ddim
ond gair; ac yma rwy'n cyfadde' nawr
na fydda i'n cofio amdano erbyn hyn
wrth drio gwasgu dyddiau i mewn i awr
a methu gwneud y mwya o f'amser prin.
Ond ddoe a minnau'n sownd yn ras y lôn
fe basiodd beic a'i sgrech yn rhyddid gwych,
a dyma'i wên fel golau'n llenwi 'ngho
nes i mi droi ac estyn at y drych –
a gweld mod innau'n teithio gyda'r byd
tra bod ei wyneb yntau'n iau o hyd.

Cariad Dall

Rhowch glust i'r stori drista' erioed
am Meilys Jones a Danni
a'u cariad ifanc, ffyddlon, dall
a'r c'lonnau gadd eu torri.

Cyfarfu'r ddau ar yr internet,
gofynnodd hi, "Ti ffansi?"
atebodd Danni'n eitha powld,
"Wel ai, if ti yn secsi."

E-byst byr fu rhwng y ddau
yr wythnosau cyntaf hynny,
"I'm collecting stampiau," meddai Dan.
"A finnau'n casglu amlenni!"

A dyna fu am wythnosau maith –
y ddau yn rhannu hobi,
bu Danni'n postio stampiau lan
i Meilys gael eu llyfu.

Ond yna dyma Danni'n dweud,
"Hei Meils myn, this is silly!
No point ni i caru dros y gwê,
fi really like dy gweld ti!"

Mewn dim roedd Meilys wedi ffoi
o wyrddni gogledd Cymru
i guro ar ddrws yng Nghymru'r de
a'i chalon fach yn llamu.

Agorodd Dan y drws yn syth
a dechreuodd Meilys wenu.
Ond sioc a siom! Fe gamodd 'nôl –
nid dyn, ond merch, oedd Danni!

Roedd honno hefyd braidd yn syn
wrth sylwi ar ei sgert hi.
"What!? Meilys is a woman's name!?
I thought it sounded manly!"

Eiliadau fuodd rhwng y ddwy
a llai o sgwrs na hynny,
cyn iddynt gau y drws am byth
ar stamps a serch a 'mlenni.

A'r wers i ni? Mae'n eitha clir –
dyw cariad ddim yn talu;
wel nid un dall, heb weld y llall,
mae peryg cael eich siomi.

Cerdd Ddienw

Soham -

nid oes geiriau,

nid oes cwestiynau
heb sôn am atebion,

ac mae'r odlau'n
rhy rhwydd
a chyfleus.

Dim ond enwau
sy'n addas,
yr enwau gaiff ganu'n
ddiodl o hyd –

Jessica

Holly

a Soham.

Ar Awst y 4ydd 2002 fe ddiflannodd dwy ferch ddeng mlwydd oed o bentref bychan Soham yn ne Lloegr. Roedd Holly Wells a Jessica Chapman ar y ffordd adref o barti pen-blwydd pan gawsant eu cipio a'u lladd gan ofalwr yr ysgol uwchradd leol. Mae'n siŵr bod nifer ohonom yn cofio rhywbeth am yr wythnos erchyll honno. Y chwilio hir am y merched, y rhieni'n apelio am help i'w ffeindio ac yna'r diwrnod ofnadwy pan ddaethpwyd o hyd i'w cyrff mewn coedwig filltiroedd i ffwrdd. 'Pam?' oedd y cwestiwn ar wefusau pawb ar y pryd. Ond mae'r hyn ddigwyddodd i'r merched bron yn rhy erchyll i eiriau, a bron yn rhy ofnadwy i fod yn destun i gerdd.

Codi Cerddi

Mewn blwch yn yr atic fe ddes o hyd i lythyr ar ffurf cerdd a gyfansoddais unwaith i sylw Mam a Dad. Mae'r gerdd yn gofyn am gael bochdew fel anifail anwes, ac mae ei darllen hi heddiw'n waith torcalonnus. Ar ôl addo i'm rhieni y byddwn i'n 'gamster am ofalu am yr hamster' mae'r llythyr yn gorffen gyda dau osodiad: 'Cei' a 'Na chei', a lle wrth ochr y ddau ddewis i roi 'tic'. Fe bostiwyd y llythyr o ben y grisiau i'w gwaelod ac arhosais am yr ateb. Fe ddaeth hwnnw cyn pen dim amser – a Mam wedi gosod tic pendant iawn ar bwys yr opsiwn 'Na chei'!

Mae'r stori fach hon yn profi nad yw awdur cerdd bob amser yn cyrraedd ei nod!! Ac yn wir, ches i fawr o lwc yn ystod dyddiau ysgol wrth geisio 'barddoni'.

Ond ym maes barddoniaeth nid ennill, na hyd yn oed cystadlu, sy'n bwysig. Yr hyn sy'n bwysig yw mwynhau ceisio dweud mewn cerdd yr hyn sydd ar eich meddwl chi, ac os yw hynny'n dod â boddhad i eraill, wel gorau oll.

Rwy'n credu'n aml fod llunio cerdd fel codi tŷ, ond yn lle cael darn o dir, mae'n rhaid wrth ddychymyg. Yn lle cael seiliau, mae'n rhaid wrth syniad. Yn lle cael brics, mae'n rhaid wrth eiriau. Fel y mae'r adeiladwr yn dewis rhwng byngalo a phalas, castell a chwt, mae'n rhaid i'r sawl sydd am lunio cerdd gael cynllun addas a dewis rhwng limrig neu awdl, soned neu'r wers rydd. Yna, fel mewn tŷ, mae'n rhaid i gerdd gael drws a ffenest; drws er mwyn ei gwneud hi'n bosib i rywun arall ddod i mewn i'r tŷ – yn nhermau cerdd, modd i eraill ei deall hi; a ffenest er mwyn galluogi rhywun i edrych o'r tu fewn tu fas – er mwyn gweld y byd, a hynny'n aml iawn mewn golau newydd newydd.

Mewn geiriau eraill, fel y mae tŷ yn disgwyl trigolion, mae cerdd yn gobeithio am ddarllenydd, ac nid gwaith bach yw darllen cerdd o hyd.

Ystyriwch hyn: beth a welwch ar dudalennau'r llyfr hwn? Yn syml iawn, fe welwch eiriau du a bylchau bach gwyn. Heb y bylchau bach gwyn nid yw'r geiriau (na'r cerddi felly) yn gwneud fawr ddim synnwyr. Tra bod y bardd yn dewis y geiriau du, mae'n rhaid i'r darllenwyr ddewis yr ystyr drwy lenwi'r bylchau gwyn gyda'u dychymyg eu hunain. Weithiau mae angen bod yn dditectif i wneud hyn, oherwydd yn aml mae mwy nag un ystyr posib i air neu i gyfuniad arbennig o eiriau. Ac wrth fynd ati i ddarllen ac ysgrifennu cerddi, rhaid cofio hefyd, fod sŵn y gair yn bwysig. Mae sŵn gair yn gallu creu awyrgylch arbennig, ac oherwydd hyn, mae'n werth darllen cerddi allan yn uchel er mwyn blasu'r geiriau ar dafod, a'u clywed yn canu yn y glust.

Gobeithio y cewch chi hwyl yn llenwi'r bylchau rhwng geiriau'r cerddi hyn, ac yr ewch chi ati i godi cerddi hardd ar dir eich dychymyg chi!

Mr Rees Ffiseg

Mr Rees Ffiseg –
nid yn unig mae'n hardd,
ond mae hefyd yn fardd.

Mae'n sôn am 'fôr' o foleciwlau
a 'latis' o atomau,
gall greu enfys mas o olau,
a thrydan mas o eiriau
fel 'gwifren' a 'batri',

gall ein dysgu ni i gyfri
y sêr dirifedi,
a ffeithiau rhyfeddol
fel:

'mae pob seren yn feidrol'

neu:

'gyda BANG fe ddaeth y byd
a'r nefoedd a'r heulwen hefyd.'

Ond ar ddydd Sant Ffolant
profais Rym Disgyrchiant,
a rhywle rhwng Mawrth a Gwener
a Phliwto a Mercher,
wrth ddirnad rhyfeddod y Ddaear a'r Lleuad
fe gw'mpes …

mewn cariad …

â Mr Rees.

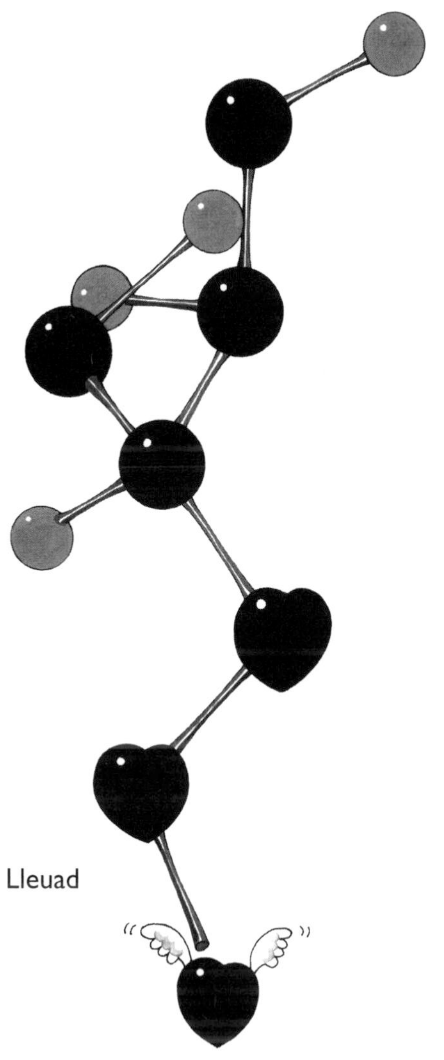

A dyna pam
rwy'n gwneud TGAU Ffiseg –
er mod i'n llawer iawn gwell yn Ffrangeg.

Fi, fel y dylai 'fi' fod

Dyma fi.

Fel hyn dw i am fod
yn yr haf,
fel un o'r rhai hyn,
fel hi, neu hi,
yn fain
fel merched MTV.

Fel hi a hi,
fel nhw
fyddaf i.

Dim ond mater o lwgu
a dysgu
bwyta dim
ond ewinedd
yw bod yn denau.

'Dim diolch, dw i'n iawn,
dw i'n llawn,
does gen i ddim lle
i fwy o fwyd

fe fwytaf i
nes mlaen.'

Smalio o hyd.

Ond yn drwm, drwm,
daw'r haf
a'i boen.

Mae'n ddiwedd byd.

Oni welwch,
drwy'r holl deneuwch,
mod i dal yn dew?

Felly rhowch fwyd eich cariad i gadw.

Nid wyf i

fel hi,
na hi,
na nhw.

Zac a Fflur Angharad

Mae ei fam a'i dad wedi symud i'r wlad
i ddianc rhag crafanc y ddinas,
ym mhendraw ei daith roeddem ni, blwyddyn saith,
a rywfodd, mae'n anodd, mae'n ddiflas

ar y crwt o Gaerdydd â'r rhieni rhydd,
ac mae'r holi a'r poeni'n dragwyddol:
'Dy enw yw Zac?!', 'A dy frawd bach yw Mac?!'
Mae'n anodd, mae'n annioddefol.

Ond mae'i lygaid e'n las fel yr awyr tu fas
a heulwen ei acen e'n gynnes,
a rywsut, rwyf i'n dawel bach, wyddoch chi,
yn toddi hyd waelod fy mynwes

wrth glywed ei lais, rhwng Cymro a Sais,
yn canu pob brawddeg fel cwestiwn?
Mae popeth mae'n wneud a phopeth mae'n ddweud
yn berffaith -
        pe medrwn fe ddwedwn:

'Gadewch Zac i fod! Mae'n anodd iawn dod
o'r ddinas i rywle mor wledig.
Mae'n trio! Oce? Hoffech chi fod yn fe? ...

A dw i'n meddwl ei fod e'n ffantastic!'

Ac yna daw Zac, 'rôl 'ngweld i mor grac
a chydio'n fy nwylo a gwenu,
cyn sibrwd yn swil: 'Fi'n meddwl ti'n bril' ...

        pe medrwn, mor braf fyddai hynny!

Dydd Iau Chwaraeon

Llawn yw 'mola bach o newyn,
ond fwyta' i ddim mo'r tost a menyn,
na'r cig moch na'r wy 'di ferwi -
mae'n ddydd Iau, mae'n ddiwrnod hoci!

Llawn yw'r gampfa o beryglon,
llawn yw'r cae o waed gelynion,
llawn yw'r gawod o gorynnod
llawn wyf i o ofn a chryndod.

Llawn yw 'nghoesau gwyn o gleisiau,
llawn yw 'nghorff o anafiadau,
llawn yw 'nghlust o ddim ond cintach
Mrs Jones a'i sgrech: CALETACH!!!

Llawn yw 'mhen o esgusodion,
llawn wyf fi o fân obeithion
y daw corwynt bach o rywle
ac eira mawr i'm cadw adre.

Llawn yw 'nghalon i o wacter,
tybed, rywbryd, a ddaw amser
y bydd naid i fore Gwener
heb fod Iau yn dilyn Mercher?

Y Deg Gorchymyn

Cyngor chwaer fawr i chwaer fach sy'n dechrau ysgol uwchradd.

Rheol rhif un
Rhaid gwisgo dy dei
yn fyr, ok?

Rheol rhif dau
Rhaid cadw gwm cnoi
yn dy fag ysgol cwl,
dim sachell ledr
a DIM CAGŴL!

Rheol rhif tri
Sgert mini bob amser
a'i gwisgo â hyder.

Rheol rhif pedwar
Sodlau!

Rheol rhif pump
Gwisg fathodynnau.
Ond dim ond un neu ddau.

Rheol rhif chwech
Paid gwisgo cot –
hyd yn oed
os yw hi'n
bwrw glaw
lot.

Rheol rhif saith
Gwna dy waith!

Rheol rhif wyth
Ond paid â gwneud llwyth.

Rheol rhif naw
Cofia – beth bynnag a ddaw
mae'n hysgol NI yn hollol WAW!

Rheol rhif deg
A phan rym ni'n colli
mewn rygbi, pêl-droed, pêl-rwyd a hoci,
neu pan ddaw'r côr yn olaf yn y 'steddfod sir –
mae rheol rhif naw yn aros yn wir.

Gyrfaoedd

Mynach?

Ie, wel, mae'n hynny'n bosib.

Gyrrwr bwsys?

Meddyg?

Dw i ddim yn meddwl!

Neu dyna yrfa trydanwr?

Mmm

Neu saer?

Dw i ddim yn siŵr.

Mae arian 'da ymgymerwyr ...?

Ych! Na! Cyrff meirw??!!

Gweithio mewn siop? Gweithio mewn sw?

Fi? O na! Edrych – dw i'n ofni nadroedd!

A! Rwy'n gweld ...

Trin gwallt?
Marchnata?
Pysgota?
Gwerthu pop?
Canwr?

Mecanic?

… Neu beth am yrfa fel Seren?

SEREN!!! Nawr ti'n siarad,
siarad yn gall – dyna'r syniad gorau i gyd.
Mae'n braf ar un o'r rheiny,
byw i wenu
a gwneud dim byd!

Y Sbectol Hud

Cyngor ar bwysigrwydd dychymyg

Pan fydd yr haul yn cwato'r sêr i gyd,
a'r nos ar goll tu ôl i ddrws y dydd,
pan fydd y lleuad wen ymhen draw'r byd,
a'r machlud fel y wawr ar orwel cudd;
neu pan fydd niwl yn gwisgo'r bryniau draw,
a phlu yr eira'n oeri brigau'r llwyn,
pan fydd y blodau trist yn crio'r glaw –
rho bâr o sbecs dychymyg ar dy drwyn.

Ti'n gweld, mae gweld yn anodd ambell waith
a ninnau'n ddall i ryfeddodau'r byd,
am hyn, fy ffrind, cyn dechrau ar dy daith,
ym mhoced ôl dy jîns rho'r sbectol hud.
A gwisga hi, a mentra godi'r llen
i weld holl liwiau'r enfys sy'n dy ben.

MELYN

Mater o Raid

Pan oeddwn i'n un ar bymtheg oed daeth yr Eisteddfod Genedlaethol i Gaernarfon, ac yn ffodus i mi roedd y nosweithiau roc yn cael eu cynnal o fewn tri chan medr i fy nghartref! Dyna pryd y clywais Meic Stevens, Geraint Jarman ac Edward H. Dafis yn canu yn fyw am y tro cyntaf ac 'roeddwn i wrth fy modd. Yr hyn a greodd argraff arna i fwyaf ar y pryd oedd y ffaith eu bod nhw'n canu caneuon oedd yn agos iawn at fy nghalon i. Er fy mod yn hoff iawn o ganeuon Bob Dylan ar y pryd 'roedd cerddoriaeth y bandiau Cymaeg yn nes o lawer at fy myd i fel Cymro. Roedd y caneuon yn sôn am lefydd yr oeddwn i'n eu nabod ac roeddynt yn siarad â mi yn fy iaith gyntaf.

Wrth fynd yn hŷn dechreuais gymryd diddordeb mewn caneuon, ac wrth wrando ar Geraint Jarman sylwais mai cerddi yn y bôn oedd llawer iawn ohonynt. Mae gan Bob Dylan ddywediad enwog 'If you can sing it it's a song – if you can't it's a poem'. Dechreuais ddarllen mwy o mwy o farddoniaeth a bûm yn sgwennu cerddi a chaneuon syml - ond heb eu dangos i neb! Wrth ddarllen gwaith yr hen feirdd o Gymru cymerais ddiddordeb arbennig yn y gynghanedd. Ac ar ôl dysgu rheolau'r gynghanedd aeth yr holl beth i fy ngwaed, fel cyffur, ac ers hynny mae barddoniaeth wedi bod yn rhan fawr o fy mywyd i.

Mae'r rhan fwyaf o'r cerddi y bydda i'n eu sgwennu yn gerddi caeth, sef yn gerddi cynganeddol, ac rwy'n ymfalchïo yn y ffaith fy mod yn gwneud fy rhan mewn cadw hen draddodiad yn fyw. Erbyn hyn, yn ddeugain oed, 'rwy'n ennill cyflog teg fel bardd a byddaf yn mwynhau fy hun yn darllen fy ngwaith yn gyhoeddus yng nghwmni beirdd eraill. Yn ystod y sesiynau hyn daw pobl ataf a gofyn pam mae beirdd eisiau sgwennu cerddi yn y lle cyntaf? Yr ateb syml ydy mai mater o raid ydyw. Mae pob bardd yn teimlo'r angen i sgwennu. Dywedodd yr awdur C S Lewis un tro fod bardd yn sgwennu er mwyn ceisio deall ei hun, nid er mwyn i bobl eraill ei ddeall o. Hynny yw, mae'n crynhoi ei brofiadau ar bapur, mewn cerdd, i geisio cael trefn ar ei feddyliau ac ar ei deimladau. Yna, wrth gyhoeddi ei waith mae'n gobeithio y bydd rhywun yn rhywle yn profi'r un teimladau a'r un meddyliau.

Mae un rheswm arall pam mae bardd eisiau sgwennu. Mae am i ni edrych ar y byd drwy lygaid gwahanol, edrych ar bopeth o ongl wahanol a'n hannog ni i weld pethau nad ydynt yn amlwg y tro cyntaf. Dyna fy ngobaith i wrth i chi ddarllen y cerddi yn y gyfrol hon!

Dyn Cŵl

Y byd ffast yw byd y ffŵl, – i wibiwr
'does obaith o gwbwl.
Drwy wibio ei di i drwbwl,
y dyn call ydy'r dyn cŵl.

Dyn cŵl nid chwim fel bwled, – yn ei dîn
nid oes yr un roced.
Cerddor sy'n hoffi cerdded,
wedyn snŵs – dyna yw Sned.

Mae Sned yn gynt na rhedyn – yn tyfu,
cynt hefyd na locsyn,
ond os dychryni di'r dyn,
neidio ni fedar Edwin.

Edwin sy'n cŵl drwy'r adeg, – y mae awr
fel mis i'r dyn glandeg,
Edwin yw'r dyn ara' deg;
Edwin nid ydyw'n rhedeg.

Pam rhedeg, hedeg o hyd? – Dilyn Ed
a'i lôn o drwy fywyd:
Ed fel malwen bob munud,
Ed, heb oriau, biau'r byd.

Ffrind i mi yw Edwin 'Sned' Humphreys. Mae'n ddyn ara deg iawn heb owns o frys yn ei groen. Ond er hynny, mae'n ddyn bodlon ac yn cyflawni popeth y mae ei angen, yn ei waith ac fel arall. Rydw i bellach, ar ôl blynyddoedd o fyw ar ras, wedi sylweddoli mai agwedd hamddenol Edwin yw'r agwedd iachaf un! Gosteg o englynion ydy'r rhain gyda diwedd pob englyn yn cychwyn yr englyn nesaf a'r englyn olaf yn cloi gyda geiriau cyntaf yr englyn cyntaf.

Cysylltu
"Get connected"

Er mynd i'r un ysgol, er byw'n yr un dre'
rydym yn rhannu ein cusanau dros y we.

Mae hi'n byw tua chwarter awr lawr y lôn,
ond rydym yn cyffwrdd ein gilydd dros linell y ffôn.

Yn ôl ei brawddegau sy'n llenwi fy sgrîn
'dyw hi byth yn siomedig, 'dyw hi byth yn flin.

Pob tro mae hi'n chwerthin mae'n gwenu fel hyn :-)
'sdim rhaid iddi fflachio ei dannedd gwyn, gwyn.

Er bod yn ei chwmni bob nos am ddwy awr,
er siarad a siarad, mae yna bellter mawr.

Yr Enwog Richard Corey

addasiad o gerdd gan Edwin Arlington Robinson

Pan ddeuai Richard Corey lawr y stryd,
o'r pafin tlawd ei wylio wnaethom ni,
bonheddwr oedd, yn deg ei air o hyd
yn adrodd ei hanesion dewr, di-ri.

Dewinol oedd y ffordd y chwifiai ei ffon,
o dan ei winedd roedd llwch aur yn hel,
roedd pili pala'n hedfan dan sawl bron
ble bynnag y cyflwynai'i wyneb del.

Roedd ganddo bopeth, popeth yn y byd,
a'i enw yn goleuo gwlad a thre',
a dal i'w wylio wnaethom ni i gyd,
dyheu am gael un diwrnod yn ei le.

A gweithio'n hir a dyfal wnaethom ni,
a disgwyl am y golau o uwchben,
ac un p'nawn poeth aeth Richard Corey'n ôl
i'r Plas a gyrru bwled drwy ei ben.

Dyma'r tro cyntaf erioed i mi gyfieithu cerdd i'r Gymraeg o'r Saesneg. Mi wnes i hynny am fy mod yn mwynhau gwaith Edwin Arlington Robinson yn fawr a bod modd ei chyfieithu'n rhwydd heb golli gormod o deimlad y gerdd wreiddiol. Bardd o America oedd Edwin Arlington Robinson. Cafodd ei eni ym Maine ym 1869 a bu farw yn Efrog Newydd ym 1935. Enillodd sawl gwobr am ei farddoniaeth syml a chryno. Cymeriad dychmygol ydy Richard Corey ond mae'n adrodd hanes sawl person sydd ar yr wyneb yn hapus iawn ond sydd y tu mewn yn hynod o drist. Mae'n gerdd hawdd i'w deall, ond eto'n gerdd sy'n trafod rhywbeth sydd mor anodd i'w ddeall, sef beth sy'n mynd ymlaen y tu mewn i feddyliau pobl o dydd i ddydd.

Cwestiwn Gwirion

"Sut beth ydy bod mewn cariad?"
holodd.

"Ydy caniad y ffôn yn deffro'r pili-palas ynot?
Ydy sŵn ei llais yn gallu troi'r tywydd?
Ydy'r bws yn cymeryd canrif i gyrraedd?
Pan wyt ti mewn cariad
ydy'r gawod eira'n gynnes?"

"Sut beth ydy bod mewn cariad?
Ydy'r wawr yn torri er dy fwyn di a hithau?
Ydy adar mân yn eich dilyn i bobman?
Ydy hi'n bosib byw heb fwyd a diod?
Pan wyt ti mewn cariad
ydy'r glaw'n cael trafferth dy wlychu?"

"Sut beth ydy bod mewn cariad?"
holodd am y canfed tro.
"Sut beth ydy bod mewn cariad?"

"Wn i ddim," meddai ei ffrind wrth ei hun.
"Wn i ddim –
bwji ydw i!"

Un

Dau Hedd, tri Elis, dau Huw, – wyth Eilir
saith Elwyn, naw Andrew,
pymtheg Len a sawl menyw,
dau Now a Dic – ond un Duw!

Moira Mai

Mi wn am lawer Manon, – a llawer
Gwenllian fach radlon,
ond gwn tra llif yr Wnion
na cha' i neb harddach na hon!

Gair am air

Wnion – yr afon sy'n llifo o dan bont Dolgellau (ac un o'r ardal honno yw Moira).

Bardd y Filltir Sgwâr

A fedrwch chi gadw cyfrinach? O ddifri' nawr. Ydych chi'n addo? Iawn. Dyma hi: fe'm ganed i yn ... Lloegr.

O do! Er i mi geisio breibio fy rhieni i fynd nôl i Gymru cyn yr enedigaeth, ac er i mi ofyn iddynt fforjio fy nhystysgrif geni ar ôl hynny hefyd, y gwir amdani yw taw mab y Queen Elizabeth the Second Hospital, Welwyn Garden City, Hertfordshire ydw i, ac y bydda' i byth, mae'n siŵr.

Diolch i'r drefn, felly, i Dad gael swydd fel athro yn Aberteifi, ac i'r dref hanesyddol honno y symudodd y teulu yn Ionawr 1968 – â mi gymaint â thair wythnos oed! Er nad oeddwn wedi dysgu siarad erbyn hynny, mae'n debyg i mi ddiolch i'm rhieni yr holl ffordd i lawr yr M4, yr A48 a'r A484!

Rwy'n dal i fyw yn Aberteifi, er i mi dreulio cyfnodau o'm plentyndod ym mhentrefi Pen y Bryn a Llandudoch, a hefyd bedair blynedd yn Aberystwyth fel myfyriwr. Bûm yn athro Saesneg yn Ysgol Dyffryn Teifi am ddeuddeng mlynedd ond rwy' nawr yn Olygydd Llyfrau Saesneg gyda Gwasg Gomer yn yr un pentref, sef Llandysul. De Ceredigion a Gogledd Penfro felly yw fy milltir sgwâr, lle mae'r mynyddoedd a'r môr a'r afon yn rhan o'r olygfa bob dydd, doed a ddêl. Yma mae fy nheulu a'm ffrindiau, gan fwyaf. Yma mae'r corau a'r cymdeithasau rwy'n aelod ohonynt. Yma rwyf i!

Do, mi deithiais yn fy nhro i fannau pell a chyffrous fel Efrog Newydd a Barbados, i Barcelona a Pharis, ac i Fenis a Fiena. Do, mi fûm yn Iwerddon droeon. Do, mi deithiais ar hyd a lled Cymru yn cynnal nosweithiau perfformio barddoniaeth gyda dau gyfaill sydd hefyd yn ddau fardd, sef Tudur Dylan Jones ac Emyr Davies. Ond yn y bôn, y filltir sgwâr piau hi!

A rhywle ynghanol y bwrlwm, boed ar dramp neu yn yr unfan, efallai daw cyfle i weithio pennill neu englyn neu gywydd neu gân.

Cerddi am hynt a helynt bywyd ysgol sydd gen i yn y gyfrol hon gan fwyaf. Mae hyn yn ddigon naturiol, dybiwn i, gan i mi dreulio 26 mlynedd o'm hoes yn yr ysgol! Fe welwch, felly, y plentyn a'r athro yn y cerddi hyn; dwy ochr y mur, fel petai. Ond rwy'n gobeithio bod clust, llygad, dychymyg a chydymdeimlad rhywun sydd ar ben y mur yn y cerddi hefyd, rhywun sy'n sefyll yn sigledig rhwng y ddau fyd.

Atgofion melys iawn sydd gen i o'm dyddiau ysgol – fel disgybl ac fel athro. Atgofion am ffrindiau a'u dwli, am griced a rygbi, am actio a chanu, am gwpwl o'r gwersi! Ond mae rhai atgofion llai annwyl. Ac efallai bod yr atgofion hynny yn cuddio y tu ôl i ambell i linell hwnt ac yma yn y cerddi hyn. Ymhle, tybed?

Weithiau bydd person dychmygol yn siarad yn y cerddi. Weithiau byddaf i fy hun yn mentro'i dweud hi. Weithiau bydd cerdd yn goglais. Weithiau yn brathu. Ond unwaith ichi eu darllen (a, gorau oll, eu darllen yn uchel), eich eiddo chi fydd y cerddi. Croeso i chi wedyn wneud beth a fynnoch â nhw. Cnoi cil drostynt – neu eu hanghofio'n llwyr!

Pam felly troi'r pethau hyn yn gerddi o gwbwl? Pam barddoni? Efallai am fy mod yn un sy'n hoffi rhoi trefn ar eiriau. Ac o roi trefn ar y geiriau, rhoi trefn ar sŵn a syniadau a phrofiadau. Ac o roi trefn ar y rhain, rhoi rhywfaint o drefn ar y byd di-drefn sydd y tu mewn ac o'm cwmpas i! Pwy a ŵyr?

Y Bwli

Dyma ddwedais i yn iawn
am y bwli un prynhawn:

"Y mae ef yn fabi mam,
boi sad a mab i Saddam!

Mae'n ga-ga ac mae'n gegog,
mae'n feirws byw, mae'n frws bog;
yn frech goch ac yn frych gwyn,
yn dameidiau dom mwydyn!

Domestos gyda mwstard
a hemyroids mwya'r iard
yw'r hyn mae'n ei fwyta'n fras –
a'i frecwast yw ferŵcas!

Mae cysgod drewdod tridiau
yn ei sawr wrth ymnesáu:
ei F.O. fel hen, hen fej,
ceseiliau caws a seilej!

Y bwli, i mi a'm mêts,
yw Atila y toilets!"

Dyna ddwedais un prynhawn

(ond yn dawel, dawel iawn!)

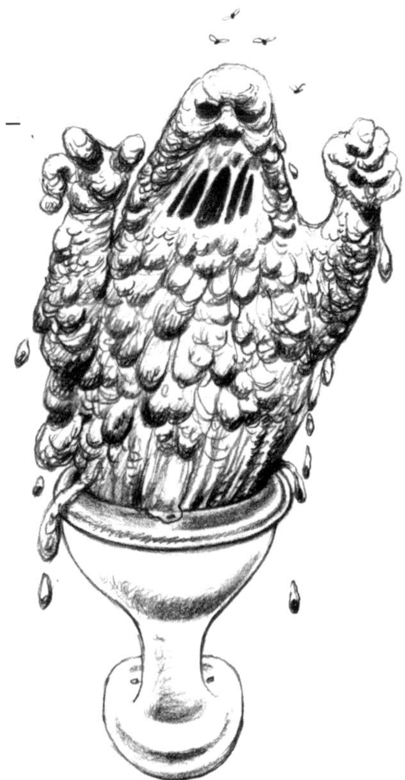

Ystafell Ddosbarth

Fel hen wrthryfel o hyd a wasgwyd
dan y desgiau pwdlyd,
mae'r *chewing gum* disymud
eto'n rhegi'r gwersi i gyd.

Dysgu Cymraeg

Mae'n *laugh*, fel, ac mae'r *spellin'* yn easy,
ac mae Miss yn pishyn,
ond, wir, mae'r treigladau hyn
o hyd yn gwneud *my head in*!

Methu a Medru

Yn y gwersi Maths rwy'n methu,
ond ar gae y gêm rwy'n medru
cadw sgôr a thrafod tacteg,
gweld a mesur onglau rhedeg.

Yn y gwersi iaith rwy'n methu
dweud fy nweud na chwaith 'sgrifennu,
ond wrth wibio ar gae rygbi,
gall fy nghorff i gyd farddoni.

Yn y gwersi Ffis. rwy'n methu
deall golau'r sêr a ballu,
ond ar gae rwy'n gweld pob gofod,
gan ddisgleirio uwch pob cysgod.

Yn y gwersi Tech. rwy'n methu
llifio, creu nac adeiladu,
ond mewn gêm mae dwylo celfydd
gennyf i sy'n creu llawenydd.

Felly fi sy'n dysgu'r gwersi
i bawb arall mewn gwers rygbi.
Yn y dosbarth rwyf yn methu,
ond ar gae y gêm rwy'n medru.

Penbleth

Mewn ambell i ysgol eleni
'dyw Maths yn Gymraeg ddim yn cyfri:
'dyw ugain a deg
ddim yn dod i dri-deg,
ond mae *twenty* a *ten* yn gwneud *thirty*!

Owain Glyndŵr

Yn ôl eu *history* nhw, yr oeddet
llai na brawddeg bitw:
mwy na duw'n ddim ond enw,
a'n Howain ni'n *Owen who*?

Brawd

Yr oet dymer hyd hemo
yng nghrafiadau caeau'r co';

ond er cau ein dyrnau'n dynn
a diawlio fel dau elyn,
yn dân golau 'da'n gilydd
fore gwyn a derfyn dydd,

os dôi rhai o fois y dre
â chweryl yn eu chware,
a'u mil o enwau milain
a'u rhegfeydd fel carreg fain,

yr oet wrth fy ochr bob tro –
yn y tân, roeddet yno.

Gair am air

hemo – curo; clatsio;
rhoi cosfa i rywun

O Dafydd ap Gwilym i Eminem

Dydw i ddim yn siŵr iawn pam fod trin geiriau wedi dod yn beth mor bwysig i mi. Hynny yw, dydw i ddim yn gwybod pam mae'r diddordeb yno. Yr unig beth alla i feddwl ydi fy mod i wedi cael fy magu gan bobl sy'n hoffi siarad, sy'n hoffi sgwrs a stori dda, a sy'n mynd i lot o drafferth i wneud i'r stori fwya ddi-ddim swnio mor ddiddorol ag sy'n bosibl. Roedd Nain yn un ffraeth – roedd gan honno dafod miniog fyddai'n gallu sleisio rhywun yn ei hanner; mae fy nhad hefyd yn areithiwr huawdl yn y ddwy iaith a Mam yn un dda am wneud i fanylyn bara hanner awr, a hynny mewn ffordd ddifyr. Cerddorion ydi Dad a Mam ac felly mae gwerth geiriau wedi bod o bwys mawr iddyn nhw erioed wrth ddehongli caneuon. Fy nhaid oedd yr un oedd yn barddoni, ac felly rhwng pawb, wrth feddwl am y peth does ryfedd fod y diddordeb yna!

Ar ôl gwneud beth mae'n rhaid i bawb ei wneud yn yr ysgol – potsian hefo rhyw ddarnau o ysgrifennu creadigol a dadansoddi cerddi pobl eraill – mae'n siŵr mai ysgrifennu geiriau ar gyfer caneuon sydd wedi fy sbarduno i gyfansoddi yn fwy na dim; mater o raid os liciwch chi. Ond trwy hynny, mae rhywun yn gorfod chwilio am ffyrdd gwahanol o ddweud yr un peth, edrych ar bynciau oesol o onglau eraill a thrio tapio mewn i deimladau mae pawb yn eu hadnabod, boed y rheiny yn rhai hapus neu drist.

Fe'm perswadiwyd i drio cynganeddu gan Tudur Dylan Jones, ac er nad ydw i'n rhagweld y bydd yna Gadair yn fy nhŷ byth, mae'r broses yn un sy'n rhoi mwy na mwynhad i mi – er ei fod o'n dueddol o gau pob dim arall allan o mywyd i. Ar adegau pan fydda i wrthi'n trio rhoi cywydd neu englyn at ei gilydd, dw i i'm gweld yn crwydro o gwmpas y lle yn mwmblo cytseiniaid ac yn cyfrif i saith fel taswn i wedi colli pob un farblen! Ond mae'r teimlad ar y diwedd pan fydd pob dim yn gywir ac, yn bwysicach, yn gwneud sens, yn ddim llai na buddugoliaeth bersonol bob tro!

Mae yna gymaint y gall geiriau ei wneud. Dyrchafu, diddanu, tynnu dagrau, codi ofn, achosi pyliau o chwerthin di-reolaeth – dim ond mater o'u rhoi nhw i gyd yn y drefn iawn gan dynnu ambell ddarlun ar y ffordd. Darllenwch, gwyliwch, gwrandewch, sgwrsiwch, dwedwch jôcs, dyfynnwch bawb o Dafydd ap Gwilym i Eminem a phob un o'r rheiny sydd wedi gwneud eu marc oherwydd geiriau, ac fe welwch chi mai casgliad o lythrennau wedi eu gosod mewn trefn arbennig ydi'r allwedd sy'n datgloi pob emosiwn. Mwynhewch.

Un Newid Bach

Taswn i'n brif weinidog,
Neu'n arlywydd, neu'n frenin
Neu hyd yn oed...
Yn Dduw,
'Swn i'n gwneud un newid bach
I neud y byd 'ma'n lle gwell i fyw.

Apwyntiaf
Un ymennydd,
Un gwyddonydd/athronydd
Dyn, dynes, plentyn
A thwtsh o athrylith...
'Na'i gyd sydd 'i angen
I neud yr un newid bach.

A thrwy ei weithredoedd
Ni fydd dadlau mwyach
Yn ein cartrefi,
Felly yn ein strydoedd,
Felly yn y gwledydd oll,
Ni fydd tensiwn,
Ni fydd anghytundeb,
Felly
Ni fydd rhyfel.

Dim ond un newid bach
Sef yw hynny
Cael popeth
I flasu
O siocled.

Parti ym Mhobman

Hei! Gwranda! Mae 'na rywbeth rhyfedd yn y gwynt,
Mae o'n gwneud i bob un galon guro'n gynt a chynt!
Mae o'n gyrru iasau i lawr yr asgwrn cefn,
Ac mae pawb lle bynnag maen nhw ishe dilyn y drefn.
O Benrhyn Llyn i lawr i Benrhyn Gŵyr,
Maen nhw bron â marw ishe parti – jyst â drysu'n llwyr!

Mae'r Cofis Dre yn mynnu dawnsio ar Y Maes,
Y Jacs i gyd yn gweiddi'n uchel ag un llais,
Mae 'na noson fawr heno draw ym Mhontypŵl,
'Sneb yn ymladd yn Nhregaron – Hei! Mae pawb yn cŵl!
Pawb yn nhre Llanelli'n gwisgo jîns a fest
Yn rocio am y gore achos 'West is Best'!

Mae pawb ym Mhontyberem yn eu lledr du,
Yn Rhisga mae 'na ddisgo'n digwydd ym mhob tŷ,
Ac yn Neuadd Corwen maen nhw'n codi'r to
A maen nhw'n jeifio nerth eu sodle yn Llanbedr y Fro!
Mae pob dim yn Llanystumdwy'n mynd yn hip-hip-hop,
A phawb ym Mynydd y Garreg yn teimlo'n Tip-Top!

Yn Amlwch a Llangefni mae 'na strydoedd llawn
O hogia Môn yn dathlu dim ers ganol pnawn,
Ac yn Aber ma'r academics dwfn a gwâr
Yn rhedeg 'rhyd y prom er mwyn cael cicio'r bar!
Ac ar greigie Aberdaron does 'na'm byd ar ôl
Ond anghofio am bob dim – heblaw y roc a rôl!

Lle bynnag wyt ti heno, tyrd i'r parti mawr!
Bydd 'na ddawnsio ar y strydoedd tan ddaw toriad gwawr,
O'r Barri i Bwllheli, o Ffestiniog draw i'r Fflint,
Ar bob mynydd, lawr pob dyffryn, a rownd pob melin wynt.
Os oes rhywbeth gen ti i ddathlu, dathla gyda ni,
Ma' 'na barti ym mhobman heno
- dere, R.S.V.P.!

Gair am air

Cofis Dre – y llysenw ar bobl Caernarfon
Y Maes – lle mawr agored yng nghanol Caernarfon
Y Jacs – y llysenw ar drigolion Abertawe
Mynydd y Garreg – un o enwogion y pentref hwnnw yw Ray Gravelle ac un o'i hoff ymadroddion yw 'Tip-Top'

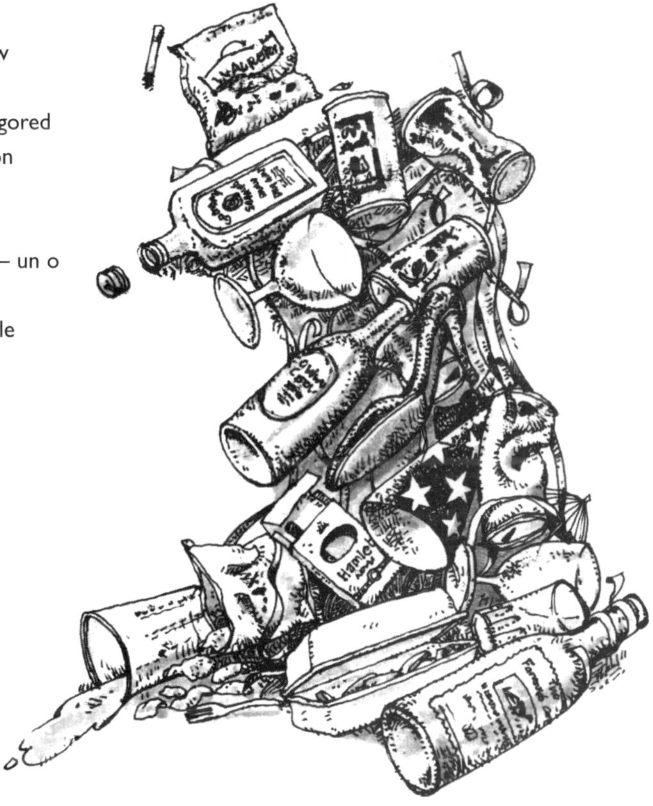

Fy Mlewyn

Wrth ddeffro fore heddiw
A chrafu croen fy mrest,
Mi deimlais rywbeth diarth
Yn cuddio yn fy fest.

Wrth edrych yn fanylach
Fe wawriodd arna i
Mai'r hyn a lechai yna
Oedd fy mlewyn cyntaf i.

O leia hanner modfedd
O flewyn gloyw du,
Dw i'n tynnu arno 'chydig bach,
Ond na, mae'n sownd, mae'n gry'!

Dw i'n sefyll yn y gawod,
(Sy'n brofiad od yn wir)
Ac yma ma' mlewyn annwyl
Yn fwy tywyll, yn fwy hir.

Bydd rhaid i mi ddod 'ma'n amlach
I fwydo'r tyfiant gwych,
A'i annog i ehangu,
Fy lawnt, fy nghae, fy ngwrych.

Y cyntaf yw o filoedd
Fydd yma gyda hyn
Fel carped dros yr erwau
O 'nghorpws sboti, gwyn.

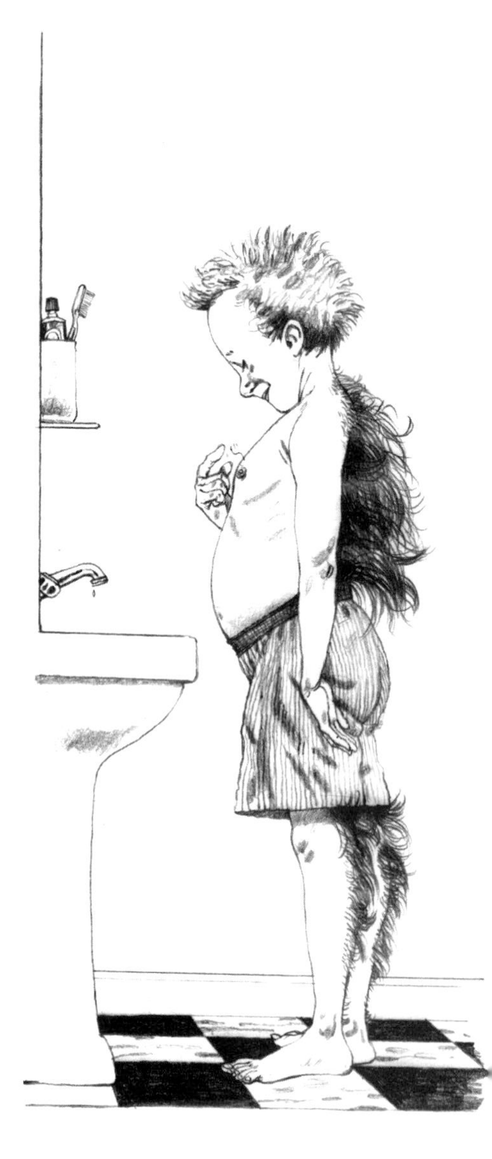

Mae 'mlewyn fel rhyw foncyff
A saif mewn anial dir.
Y cyntaf yn y goedwig
Fydd gen i cyn bo hir.

Fy mlewyn yw yr arwydd
I 'he-man' pymtheg oed
Fod petha mawr ar ddigwydd
Fod newid mawr ar droed.

Bydd 'sgwydda yn lledaenu,
Y wast yn mynd yn llai,
Y llais yn mynd yn ddyfnach
A'r frest yn Fagnum P.I.!

Cyhoeddaf i'r holl bobloedd
Fel hyn ar fore Llun,
Fy mlewyn yw 'nyfodol,
Dw i'n dechrau troi yn ddyn!

Gair am air

Magnum P.I. - Cyfres deledu o'r 1970au
am dditectif oedd *Magnum, P.I.*
Roedd seren y sioe, Tom Sellick,
yn dipyn o 'hync' ar y pryd
ac yn enwog am ei frest fawr,
flewog iawn!

Mae Cynghanedd yn Lysh

Mae gyd o ffrindiau ysgol fi yn dweud i fi fi'n sgwar,
Ond onest, ma'r Cynghanedd peth ma'n rili troi fi ar.
Mae ddim fel fi yn swot na dim, neu'n Welshy kinda geek,
Mae jyst yn peth fi'n dwli ar, sy'n kinda gneud fi'n freak.

Fi gyda Odliadur ac mae odliadu'n 'fun'.
Mae Cynghanedd i'r dead serious, a credu fi, fi yn!
Rhai weithie mae'n rhy gormod i cadw e mewn fy hun,
Fi'n eisiau, even ysu ... Hei gweld! Mae hwnna'n un!

Fi'n gwneud fe yn y bore, fi'n gneud fe yn y pnawn,
Ac un dydd bydd fi mewn y Cadair pan bydd fi 'di gneud e'n iawn.
Fi'n cael e bois, fi'n cael y nac, fi'n cael i gyd o'r iaith,
Ac unrhyw ffordd, mae motto fi'n "Hir byw am Canu Caeth".

Gair am air

Cynghanedd - Mae cynghanedd fel pôs croeseiriau'r *Times*, mathemateg llythrennau a sgorio marciau uchel mewn arholiad Cymraeg i gyd gyda'i gilydd! Mae'n fath o fiwsig geiriau sydd wedi tyfu mewn barddoniaeth Gymraeg ers dros 1500 o flynyddoedd. Sŵn sy'n creu swyn ydi'r gynghanedd – ac fe all fynd i'ch gwaed yn hawdd iawn!

Odliadur – geiriadur y beirdd; yn lle rhestru geiriau yn ôl eu llythrennau cyntaf, mae'n eu rhestru yn ôl eu terfyniad fel bod y rhai sy'n odli â'i gilydd gyda'i gilydd.

Canu Caeth – dyna sut y disgrifir y farddoniaeth sy'n defnyddio'r gynghanedd. Llinell ydi'r gynghanedd; o roi nifer o linellau at ei gilydd, ceir patrwm neu fesur arbennig. Mae mesurau fel yr englyn, y cywydd – ac ambell un anarferol fel y tawddgyrch cadwynog! – i gyd yn rhan o'r canu caeth.

Y Briodas Berffaith

Roc a rôl, semolina a jam,
Tiger a *eight iron*, Dad a Mam,
Cherie a Tony, yr Alliance and Leicester,
Chips mewn papur, cyw iâr a tikka,
John ac Alun, Posh a Becks,
Hir a Thoddaid, *City* a secs,
Richard a Judy, yr Urdd a llefaru,
Colli'n rhy aml a thîm rygbi Cymru,
Wy efo sowldiwrs, glaw a Bangor,
Anne Robinson a homar o Foa Constrictor,
Gwely mawr cynnes a chynfasau glân,
Dafydd Iwan a thri chord mewn cân,
Lennon a McCartney, torth ffres efo menyn,
Jocs pobl thic a merched gwallt melyn,
Delia a phopty, brwsh paent a Rolff,
Reeves a Mortimer, dynion priod a golff,
Bîns a thost, jel a gwallt sbeici,
Penwythnos a *chill-out*, Sharon ac Ozzy,
Pob un yn briodas hapus gytûn
Yn ei ffordd fach ryfedd ei hun.

Gair am air

Hir a Thoddaid – llinellau o gynghanedd degsill yw 'hir' a dwy linell o gynghanedd ar fesur arbennig yw 'toddaid'; o ddod â nhw at ei gilydd maent wedi creu mesur newydd sy'n un poblogaidd iawn.

Homar – anferth

Trio Darllen Saesneg

Mae 'reading' yn union fel 'Reading',
Ond dyw 'weeding' ddim cweit fatha 'wedding',
Mae 'lead' fatha 'lead',
Ond 'di 'dead' ddim fel 'deed',
A maen nhw'n dweud mai ni sy'n conffiwsing!

Mae'r 'gh' sydd yn 'through' yn 'W',
Ond 'Ff' ydi o'n 'tough' medden nhw,
Yna 'Y' ydi o'n 'borough'
A hefyd yn 'thorough',
Mae'n thoroughly tough through and through.

Mae 'hate' fatha 'wait' 'nôl ei sain,
Ac mae 'eight' eto'n debyg i'r rhain,
Ond os ewch i'w sillafu,
'Na dasg sydd o'ch blaen chi.
O 'na ryfedd yw geiriau'r Iaith Fain!

Fo

Dw i'n aros iddo gyrraedd yn y bore,
Fedra i'm diodde'i weld o'n gadael yn y pnawn,
Dw i'n ei wylio gyda'i ffrindiau amser cinio
Am mai fo sy'n gwneud fy mywyd i yn llawn.

Mae o'n eistedd wrth fy ochr mewn Bioleg,
A fedra i'm canolbwyntio ar ddim byd,
A sgynno fo mo'r syniad lleia posib
Fy mod i wedi ei garu o gyhyd.

Dw i'n gweld ei enw ar fy nghyfrifiadur
A weithiau'n dweud 'Helo' ar MSN,
Un noson fe deipiodd o 'Ti'n iawn bêb?'
'Iawn' atebais … a daeth y sgwrs i ben.

Mae'n edrych arna i weithiau'n y gwasanaeth
Ac yn gwenu yn y coridor o hyd,
Ond dw i'n troi fy mhen oddi wrtho am ryw reswm
Er bod gwên gan hwn i mi yn werth y byd.

Dw i'n cochi os 'di o'n sbio i 'nghyfeiriad,
Mae atal deud yn cyrraedd os cawn sgwrs,
Dw i'n dechrau siarad rybish am ryw reswm
Gyda chabej rhwng fy nannedd i, wrth gwrs.

Dw i'n gwbod nad oes gen i unrhyw gyfle
I ennill calon rhywun fatha fo,
A sut bynnag fo 'di cariad fy ffrind gore,
Rhaid i'r freuddwyd dw i'n byw ynddi wneud y tro.

Snog

Sa i'n gwybod a alla i wneud e,
Sa i'n gwybod a ydw i'n moyn,
Ond os na wna i e'n gloi wi mewn trwbwl,
Fydda i'n ffili byw yn fy nghroen!

Ma' Gwen 'di gwneud e ers ache,
A ma' Ffion 'di dechre ers mis,
A wi'n credu bod Catrin 'di mentro
'Da bachan ffit o'r enw Rhys.

Wi di rhannu ambell i gusan
Ar y boch a hyd yn oed ar y geg,
A hynny mewn parti Nadolig
'Da Cai Tomos o Flwyddyn Deg.

Ond ma' snog … wel ma' snog yn beth arall,
Ma' fe'n ddechre cyfnod yn wir,
Ac yn ddiwedd ar un arall
Ac ma'r cyfnod bach nesa MOR hir!

Wi 'di gweld nhw tu draw i'r cae whare,
Wi 'di gweld nhw â'm llyged fy hun.
Ac ma' edrych ar gwpwl yn snogo
Fel edrych ar Washin Mashin!

Ma'u penne nhw'n troi fel meline
A'u llyged ar gau i'r holl fyd,
A'u cege ar agor fel cywion
Yn aros i'r fam ddod â phryd.

Nawr, beth wi fod gwneud gyda 'nhrwyn i
Pan ddaw fy niwrnod mawr?
Wi'n 'i gadw fe'n pwynto syth ymlaen?
Neu ei droi sha'r gorllewin neu'r llawr?

Wi'n gweud wrthoch chi, mae e'n benbleth!
Ma' fe'n bwyse rhy drwm o 'mlaen.
A ma'n rhaid i fi lico rhywun ddigon,
Jiw! Dyw snogo yn ddim byd ond straen!

PAC O FEIRDD

Barddoniaeth ar gyfer pobl ifanc:

IWAN LLWYD
ALED LEWIS EVANS
MYRDDIN AP DAFYDD
ELINOR WYN REYNOLDS